めざせ！やさい名人

監修：河村 亮（三和農園） 指導：加藤真奈美（学習院初等科教諭）・長代 大（学習院初等科教諭）

5 サツマイモ・オクラ

小峰書店

この本を読む　みなさんへ

みなさんは、やさいを　そだてたことが　ありますか？　小さなたねや　なえから、だんだんと大きくなっていく　やさいを見るのは、とても楽しいものです。そして、自分でそだてた　やさいを食べると、いつもより　もっとおいしく　かんじられます。どうしてだと思いますか？　それは、みなさんが　そだてるために　がんばった時間や　きもちが、やさいのあじに　くわわるからなんです。

この本では、やさいを　そだてるときのコツやポイント、かんさつや、かんさつしたことを　まとめるほうほうを　しゃしんと絵をつかって　わかりやすく　しょうかいしています。やさいは、しゅるいによって　ちがう形を　していたり、はっぱや花のようすが　ちがったりします。よくかんさつすると、「こんなふうになっているんだ！」という　新しいはっけんが　たくさんありますよ。

ぜひ、この本を　さんこうにして、いろいろなやさいを　そだててみてください。自分でそだてたやさいは、とくべつです。楽しくそだてて、食べて、やさいのことをもっと　すきになってくださいね！

河村　亮（三和農園）

この本に出てくるのは…

カワムラさん
やさいづくりのプロ。サツマイモやオクラのほか、いろいろなやさいを　つくっている。

シオリさん
生きものを　そだてたり、かんさつしたりするのが　大すきな小学２年生。

リンさん
おいしいものが　大すきな小学２年生。もちろん　やさいも大すき！

もくじ

さいばいとかんさつの じゅんびを しよう …… 4
さいばいに つかうもの …… 4
かんさつに つかうもの …… 5

サツマイモを そだてよう! …… 6
サツマイモは どんな やさい? …… 6
サツマイモは どうそだつの? …… 7
なえを うえよう! …… 8
つるが のびたよ! …… 10
かんさつ名人になろう! かんさつしたことを かこう! …… 12
やさいのプロに 聞いてみよう! …… 13
イモが できたよ! …… 14
かんさつ名人になろう! サツマイモとジャガイモ …… 16

オクラを そだてよう! …… 18
オクラは どんな やさい? …… 18
オクラは どうそだつの? …… 19
なえを うえよう! …… 20
かんさつ名人になろう! ぎもんを かいけつしよう! …… 22
やさいのプロに 聞いてみよう! …… 23
花が さいたよ! …… 24
みが できたよ! …… 26

サツマイモとオクラのことを まとめよう …… 28
タブレットやパソコンで まとめよう …… 28
わかったことを つたえあおう …… 29
サツマイモのミニちしき・オクラのミニちしき …… 30

さくいん …… 31

どうがの見かた

この本のQRコードを タブレットやスマートフォンのカメラで読みこむと、インターネットで どうがを見ることが できます。

がめんに QRコードがうつるようにします。

さいばいとかんさつ

さいばいに　つかうもの

サツマイモやオクラを　そだてるとき、どんな　ものが　ひつようかな？

サツマイモの　なえ　　**オクラの　なえ**

なえは、たねから　めが　出たあと、
少し　そだてたもの。

ジョウロ

やさいに　水をやる
どうぐ。

シャベル（スコップ）

土をほる　どうぐ。

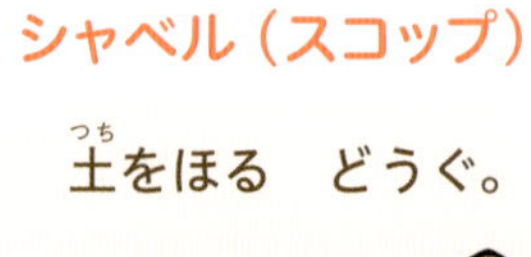

プランターや　うえきばち

やさいを　そだてるときに　つかう
入れもの。

ひも

やさいと　しちゅうを　むすぶ
ときに　つかう。テープを　つ
かっても　よい。

土（ばいよう土）

ひりょうを　まぜた土を
ばいよう土という。

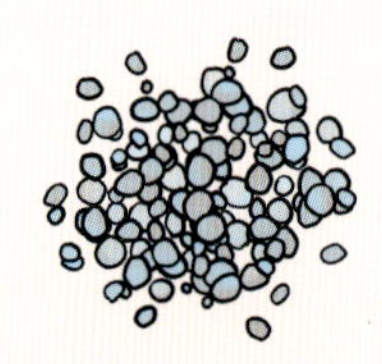

ひりょう

やさいのえいように
なる。

しちゅう

やさいが　たおれないように
ささえる　ぼう。
オクラを　そだてるときは、
1ｍくらいのものを
よういすると　よい。

の じゅんびを しよう

かんさつ に つかうもの

サツマイモやオクラを　かんさつするとき、どんな　ものが　ひつようかな？

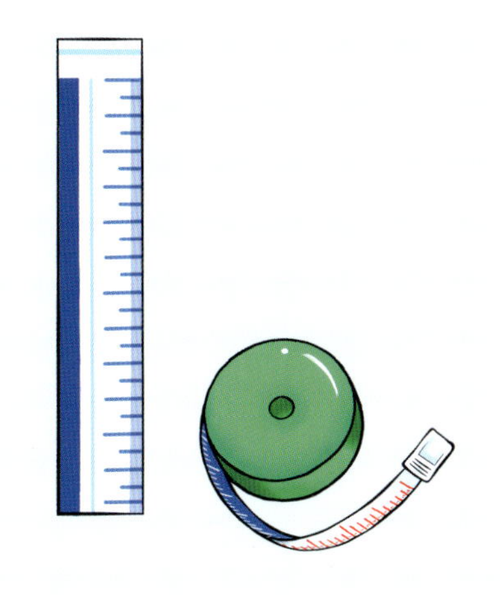

虫めがね

はっぱや花のようすを
大きくして　見ることが
できる。

ものさし、メジャー

くきの高さや　はっぱの大きさを
はかるときに　つかう。

ひっきようぐ

文や絵で　かんさつしたことを
きろくするときに　つかう。絵は、
色えんぴつや　クレヨンを　つかって
はっぱや花の色が　わかるようにする。

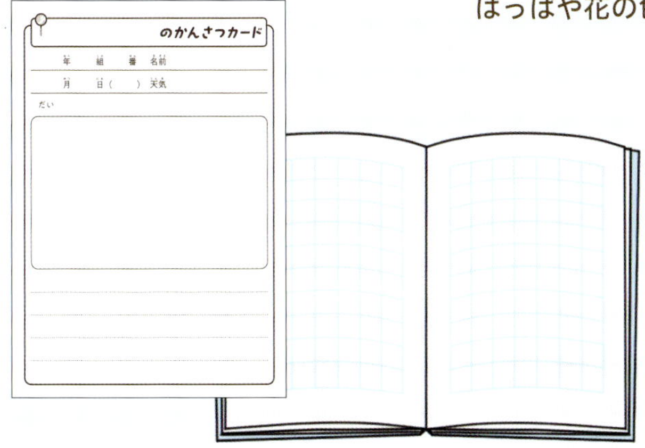

かんさつカード、ノート

かんさつして　わかったことを　かいておく。
かんさつカードは、この本のさいごの
ページを　コピーして　つかおう。

タブレットたんまつ

やさいの　しゃしんを　とったり、
気づいたことを　ろくおんしたり
して、きろくする。

サツマイモを そだてよう！

はじめに、サツマイモのことを　しらべてみましょう。

サツマイモは どんな やさい？

　サツマイモは、あたたかいところで生まれた　やさいです。だから、あたたかいきせつに　よく　そだちます。

　わたしたちが　食べるのは、サツマイモのねっこ（ね）です。

　ねっこ（ね）は、ゆでたり　やいたりすると、ほくほくして　あまくなります。

イモを よこに切ったところ

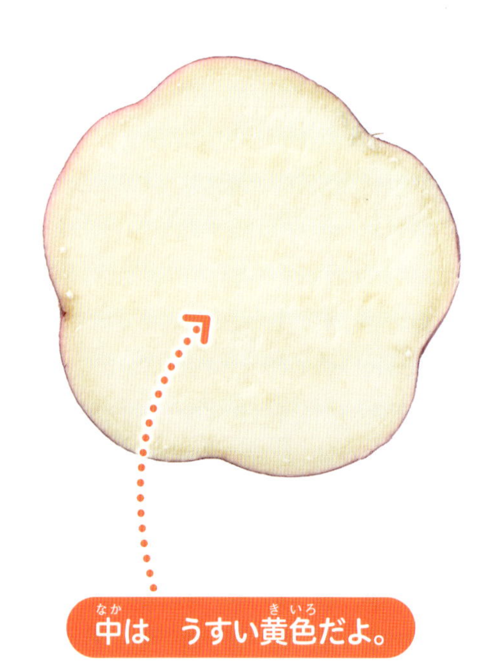

サツマイモは どうそだつの?

春に サツマイモのなえを うえると、はっぱが ふえて ねっこ(ね)が 出てきます。
秋になると、ねっこ(ね)が 太くなります。これが イモです。

イモを 土にうえたり 水につけたりして そだてると、めが 出ます。めが のびて はっぱが ふえると、なえになります。

めを 出した サツマイモ
あたたかいところで サツマイモを 水につけておくと めが いくつも 出てくる。

サツマイモの花

1年中 あたたかいところでは、夏から秋に サツマイモの花が さいて、みや たねが できます。でも、日本のほとんどのばしょは、冬にさむくなるので、花は さきません。だから なえを うえて、サツマイモを そだてます。

サツマイモの せいちょう

なえ

5月ごろ

ねっこ(ね)が のびる

7月ごろ

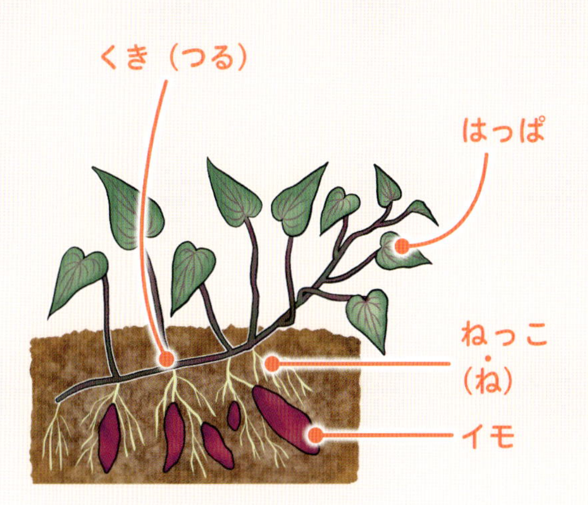

イモが できる

10月ごろ

サツマイモを　そだてよう！

さいばいスタート

なえを　うえよう！

サツマイモのなえを　はたけに　うえましょう。
ねっこが　よくのびて、元気にそだちます。

なえのうえかた

①なえが入る大きさの
ふかさ 3cm くらい
の　あなを　ほる。

②なえを　あなにうえ
て、上から　土を
かぶせる。

③水を　くきのねもと
に　たっぷり　やる。

なえのうえかたを　どうがで見てみよう！

サツマイモのなえは、
ねっこが　ないから、
はじめは、しおれているよ。
でも　毎日　水を　やれば、
ねっこが　出てきて
元気になるよ。

はっぱは、ハート
みたいな形を　し
ているよ。
かんさつ名人になろう！
見る
はっぱは、どんな　形かな？　はっぱや　くきの色も　見てみよう。
さわる
はっぱや　くきを　さわると、どんな　かんじかな？
かぐ
はっぱは、どんな　においが　するかな？
はかる
なえの長さや　はっぱの大きさは、どのくらいかな？

サツマイモを そだてよう！

さいばい
10週め～

つるが のびたよ！

サツマイモのくきは、「つる」とよばれます。つるが 長くのびたら もちあげて、ねっこを 切っておきましょう。

つるがえしのしかた

つるが 1mよりも長くなっていたら、土から はがすように つるを もちあげて、ほかの はっぱの上に のせましょう。これを「つるがえし」と います。つるがえしを すると、細いねっこを 切ることが できます。

つるがえしのしかたを どうがで見てみよう！

ねっこが ふえすぎると、イモが 大きく そだたないんだ。だから つるを もちあげて、ねっこを 切るよ。つるが あまり のびていないときは、切らなくても だいじょうぶだよ。

かんさつ名人になろう!

見る
つるは、どのようにのびているかな?

さわる
つるを　さわると、どんなかんじが　するかな?

かぐ
つるは、どんな　においが　するかな?

はかる
つるは、どのくらいの長さかな?

かんさつ名人になろう！

かんさつしたことを　かこう！

1 気づいたことを　ことばにしよう

　はっぱや　つるは、どんな　色や形を　しているか、大きさや高さや数は、どれくらいかを　かんさつして、くわしく　かきましょう。

❶「ざらざら」「つるつる」のように、ようすを　あらわすことばで　ひょうげんしてみましょう。

❷ほかのものとくらべて　色や高さを　あらわしたり、にているものを　さがして　たとえを　つかったりすると、つたわりやすくなります。

つるは、むらさき色を　しているね。

はっぱは、ハートのような形を　しているよ。

2 絵を　かこう

　絵は、ぜんたいを　かくほうほうと、ひとつのぶぶんを　大きく　かくほうほうが　あります。つたえたいことが　よく　わかるように、かいてみましょう。

なえの　ぜんたいを　かくと、どんな　ようすを　している　かが　わかる。

はっぱだけを　大きくかくと、はっぱのようすが　くわしく　わかる。

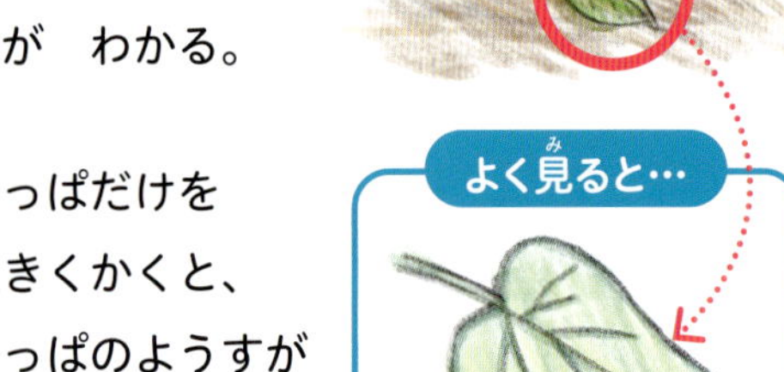

3 かんさつカードを　かこう

やさいの名前

学年・組・番ごう・名前

日づけ・天気

だいめい

その日に　したことや、はっけんしたことを　かんたんに　かこう。

絵

やさいのようすを　絵に　かこう。

せつめい

色や形、大きさ、ほかにも　かんさつして　わかったことを　かこう。

サツマイモ　のかんさつカード

2 年 1 組 10 番　名前　〇〇〇〇〇〇

5 月 12 日（月）天気　はれ

だい　なえをうえたよ

　サツマイモのなえをうえました。はっぱは、みどり色で、くきは、むらさき色でした。ねっこがありませんでした。はじめは、しおれていて、ちゃんとそだつのかしんぱいだったけど、水をやったら元気になりました。よかったです。

かんさつカードは、この本のさいごのページを　コピーして　つかいましょう。

やさいのプロに 聞いてみよう！

サツマイモのまわりに ざっ草が いっぱい！ どうすれば いいの？

まわりに ざっ草が たくさん はえていると、えいようを とられて、サツマイモが 元気にそだちません。

ざっ草を 見つけたら、すぐに ぬくようにしましょう。

サツマイモに 元気が ない！ どうすれば いいの？

サツマイモのなえを うえてから 1週間は、毎日1回 水を やりましょう。そのあとは、土が かわいて はっぱが しおれているときだけ 水を やれば だいじょうぶです。水を やりすぎないように、気をつけましょう。

サツマイモのはっぱを 虫が 食べてしまうことも あります。虫を 見つけたら、テープやわりばしを つかって とるようにしましょう。

サツマイモに つきやすい虫

コガネムシのよう虫

ヨトウガのよう虫

虫を とるには、テープが べんりだよ。こういうふうに、テープの、のりが ついているほうを 外がわにして、ゆびに まきつけるんだ。

サツマイモを　そだてよう！

さいばい
20週め～

イモが　できたよ！

秋、サツマイモのはっぱが　かれはじめて　黄色にかわったら、しゅうかくしましょう。

しゅうかくのしかた

① 土を　少しほって、サツマイモの大きさを　たしかめる。

② サツマイモが　大きくなっていたら、はさみで　つるを切る。

つるを　15ｃｍくらいのこして切る。

③ サツマイモを　ぬきやすいように、まわりの土を　ほる。

サツマイモが
まだ小さかったら、
どうすればいい？

サツマイモが
小さかったら、
うめもどして
大きくなるまで
まとう。

しゅうかくのしかたを　どうがで見てみよう！

④ つるを　引っぱって、イモを　ぬく。

かんさつ名人になろう！

見る
サツマイモは、どんな　色や形を　しているかな？　いくつできたかも　数えてみよう。

さわる
サツマイモを　さわると、どんな　かんじが　するかな？

かぐ
サツマイモは、どんな　においが　するかな？

はかる
サツマイモは、どのくらいの大きさかな？

かんさつ名人になろう！

サツマイモとジャガイモ

サツマイモとジャガイモ、どうちがう？

　イモといえば、サツマイモか　ジャガイモを　思いうかべますね。でも、このふたつ、じつは　ぜんぜんちがう　しょくぶつです。
　いったい　どこが　ちがうのでしょうか？

サツマイモ

食べるのは　ねっこ

サツマイモは、ねっこが　太って大きくなったもの。やいたり、ふかしたりして　食べると、あまいあじがする。

食べるのは　くき

ジャガイモは、土の中にある　くきが　太って　大きくなったもの。ジャガイモは、いろいろな　りょうりに　つかわれる。

サトイモも
イモだよね。

サトイモは
ねっこと　くき、
どっちなのかな？

サトイモは、
ジャガイモと同じ
ように、くきが
大きくなったもの
だよ。

じつは　アサガオのなかま

サツマイモは、アサガオやヒルガオのなかま。サツマイモの花は、アサガオの花に　にている。

サツマイモの花

アサガオの花

じつは　ナスのなかま

ジャガイモは、ナスや　トマトのなかま。ジャガイモの花は、ナスの花に　にている。

ジャガイモの花

ナスの花

あたたかいところが　すき

サツマイモは、中おうアメリカで　生まれた。1年中あたたかい土地だったので、サツマイモは、あたたかいばしょで　よく　そだつ。

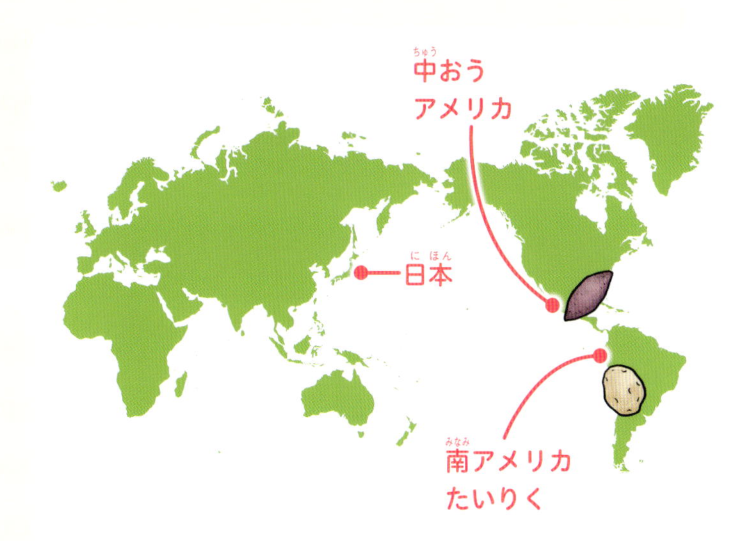

すずしいところが　すき

ジャガイモは、南アメリカたいりくの山で生まれた。すずしい土地だったので、ジャガイモは、すずしいばしょで　よく　そだつ。

オクラを そだてよう!

はじめに、オクラのことを しらべてみましょう。

オクラは どんな やさい?

オクラは、あたたかいところで生まれた やさいです。だから、あたたかいきせつに よく そだちます。

わたしたちが 食べるのは、オクラの みです。みを食べると ねばねばしています。そして、みの中には、たねが たくさん 入っています。

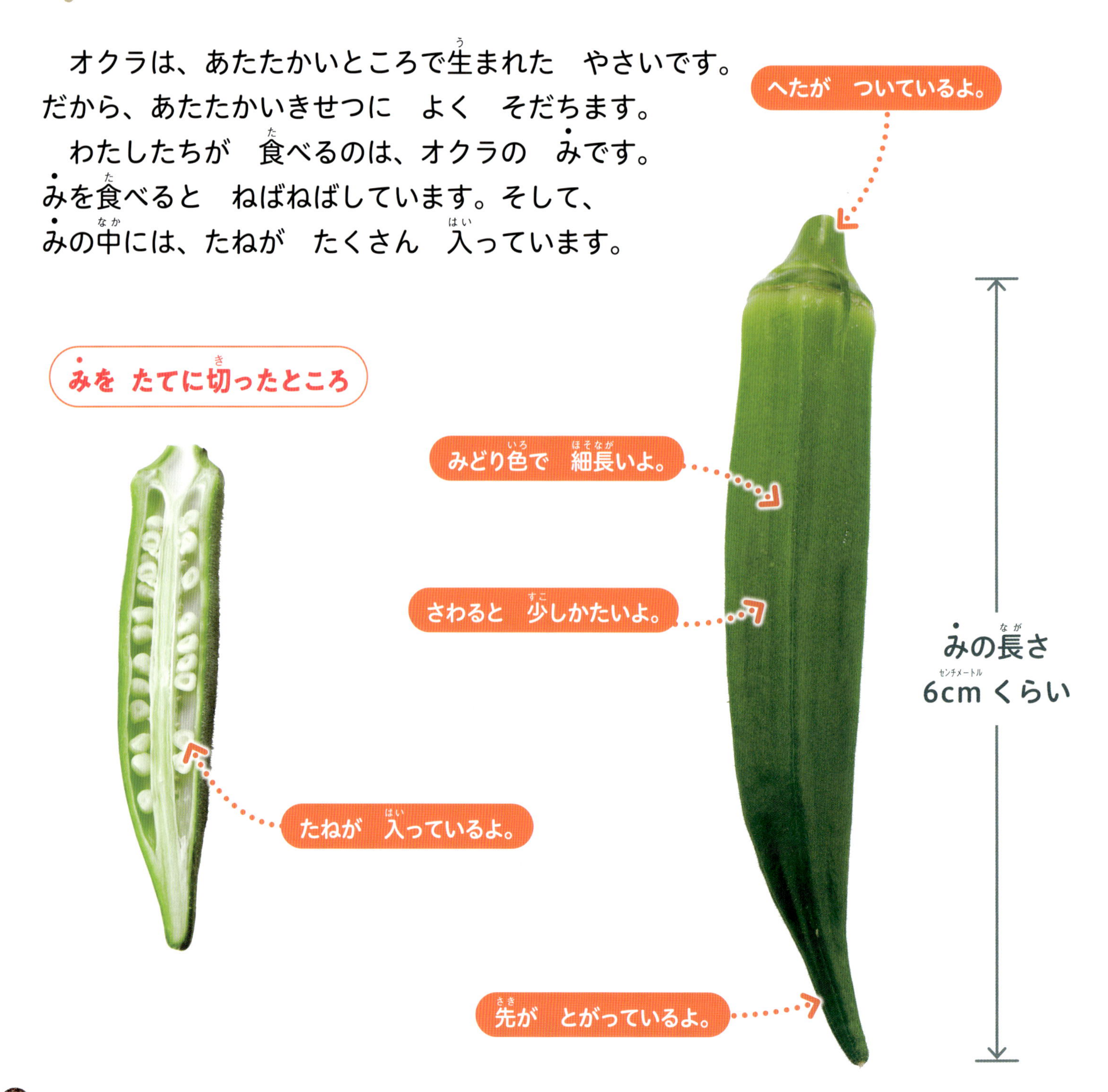

オクラは どうそだつの?

春に オクラのたねを まくと、めが 出てきます。

しばらくすると せが のびて、はっぱも ふえます。

そして 花が さいて、みが できます。

みの中には、たねが 入っていて、春に まくと、また めが 出てきます。

オクラの花

オクラのおしべと めしべは、くっついています。おしべの花ふんが めしべにつくと、みが できます。

オクラの せいちょう

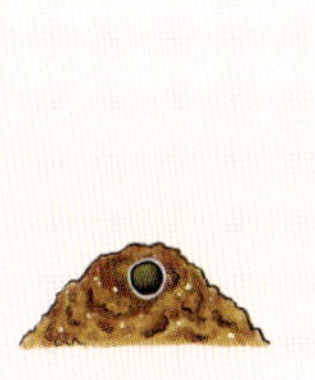

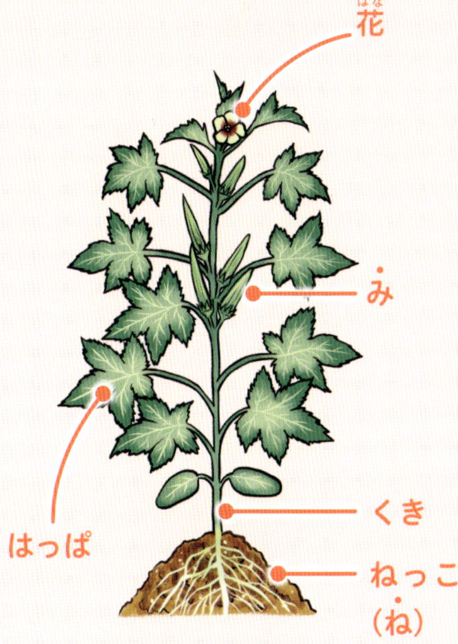

5月ごろ

6月ごろ

7月ごろ

オクラを そだてよう！

なえを うえよう！

さいばい スタート

オクラのなえを はたけやプランターに うえましょう。ねっこが よくのびて、元気にそだちます。

なえのうえかた

1. はじめに、ポットに入った なえに 水を たっぷり やる。
2. なえが 入る大きさの あなを ほって、そのあなに 水を たっぷり やる。
3. なえを ポットから そっと 出して、あなに うえる。

くきを ゆびで はさむ。

4. なえから 少しはなれたところに しちゅうを 立てる。

なえと しちゅうを 10cmくらいはなす。

5. しちゅうと なえを ひもで むすぶ。

ひもが「8」の字になるように むすぶ。

なえのうえかたを どうがで見てみよう！

オクラの みは、そだちすぎると かたくなりやすいよ。なえを 何本かまとめて 近くに うえるようにすると、あまり大きくならないんだ。

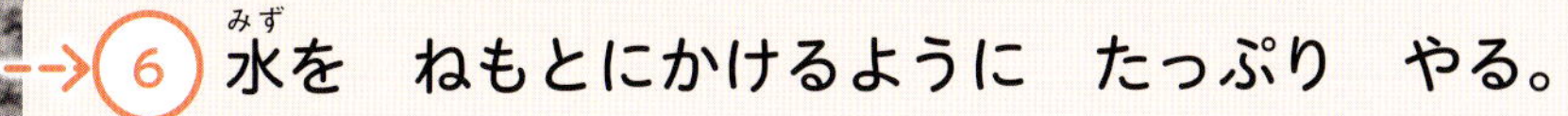

かんさつ名人になろう！

見る

はっぱは、どんな　形かな？　はっぱや　くきの色も　見てみよう。

さわる

はっぱや　くきを　さわると、どんな　かんじかな？

かぐ

はっぱは、どんな　においが　するかな？

はかる

なえのせは、どのくらいの　高さかな？　はっぱの大きさも　はかってみよう。

かんさつ名人になろう！

ぎもんを かいけつしよう！

1 本などでしらべる

としょかんで　やさいのそだてかたの本を　さがして、しらべてみましょう。

インターネットの　けんさくで　しらべることも　できます。

インターネットは、おとなの人と　いっしょに　つかいましょう。

2 じょうほうを こうかんする

クラスやグループで話しあって、やさいのせわで　こまっていることや　わかったことを　つたえあいましょう。

教室や　ろうかに　そうだんコーナーを　つくって、知りたいことや、教えてあげたいことを　つたえあう　ほうほうもあります。

3 くわしい人に インタビューしよう！

のうかの人や　やさいのことに　くわしい人に　話を　聞いてみましょう。

1. 行く前に、聞きたいことを　せいりして　かじょうがきで　かいておく。
2. あいてが　いそがしくないかを　たしかめる。
3. さいしょに　あいさつを　して、自分の名前を　言う。
4. あいてを　見て、はっきりした声で　聞く。聞いたことは、メモしておく。
5. おわったら、おれいを　言う。

やさいのプロに 聞いてみよう！

オクラを たねから そだてたい！ どうすれば いいの？

4月のおわりから　5月の間に、オクラのたねを　3、4つぶ　まきましょう。

ふかさ1cmくらいの　あなを　ほって、たねを　3、4つぶ　まく。

土を　かぶせて、かるく　おさえる。そのあと、水を　やる。

めが　出て　はっぱが　ふえてきたら、元気がよい　なえを　2本だけ　のこして、ほかは、引きぬく。

オクラに 元気が ない！ どうすれば いいの？

オクラは、日当たりや風通しが　わるいと、びょうきになることが　あります。日当たりがよいところで　そだてて、水をやりわすれないように　しましょう。

はっぱに　虫が　ついていたら、テープやわりばしで　とりましょう。

びょうきの はっぱ

うどんこびょう　はっぱに白いこなのようなものが　ついていたら、そのはっぱを　とって　すてる。

オクラに つきやすい虫

アブラムシ

カメムシ

オクラを そだてよう！

さいばい4週め〜

花が さいたよ！

オクラの花が さきました。花が さきはじめたら、ひりょうを やりましょう。

ひりょうのやりかた

花が さいたら、10日に1回、くきのねもとから 少し はなれたところに、ひりょうを まきましょう。

そのとき、くきの ねもとに 土を よせておきましょう。

かんさつ名人になろう！

見る
花は、どんな　色や形を　しているかな？　花は、いくつ　さいているかな？

さわる
花びらを　さわると、どんな　かんじが　するかな？

かぐ
花に　においは、あるかな？

はかる
花の大きさは、どのくらいかな？

オクラの花の大きさは、7cmくらいだったよ。

さいばい
6週め～

みが　できたよ！

みが　6cmくらいの大きさになったら、しゅうかくしましょう。下のほうの　はっぱも　とっておきましょう。

しゅうかくのしかた

かたほうの手で　みを　ささえて、はんたいの手で　はさみを　もって、みの　ねもとを　切ります。

はっぱの切りかた

オクラの下のほうの　はっぱを　はさみで　切りましょう。日当たりと風通しがよくなって、みが　たくさんできます。

しゅうかくのしかたを　どうがで見てみよう！

はっぱの切りかたを　どうがで見てみよう！

かんさつ名人になろう！
見る
みは、何色かな？
みは、どこを　むいて　はえているかな？
さわる
みを　さわってみると、どんな　かんじが　するかな？
かぐ
みに　においは、あるかな？
はかる
みの大きさは、どのくらいかな？
みを　さわると、チクチクしているよ。

サツマイモとオクラ

サツマイモやオクラを　そだてて　かんじたことや　わかったことを　タブレットやパソコンで　まとめて、みんなに　つたえましょう。

タブレットやパソコンで　まとめよう

　サツマイモやオクラの　しゃしんを　とったら、タブレットやパソコンに　ほぞんして　かつようすることが　できます。
　サツマイモとオクラのように、ちがうしゅるいの　やさいのしゃしんを　ならべて　くらべたり、同(おな)じしゅるいの　やさいのしゃしんを　とった　じゅんばんに　ならべたりして、せいちょうするようすを　つたえることが　できます。

ちがうやさいを　くらべる

サツマイモとオクラのはっぱ

七月八日

オクラのはっぱは、手みたいに5つに分かれています。そしてギザギザしています。大きさは、ぼくの手より大きいです。

サツマイモのはっぱの形は、ハートににています。大きさは、ぼくの手と同じくらいです。

のことを まとめよう

せいちょうのようすを つたえる

オクラのせいちょう①

なえをうえた

五月三十日

・オクラのなえをうえました。
・しちゅうも立てました。
・そのあと水をやりました。
・みができるのがたのしみです。

オクラのせいちょう②

つぼみができた

六月三十日

・くきとはっぱの間のところに、つぼみがありました。
・小さくて、とがった形のつぼみもありました。
・早く花がさくといいと思いました。

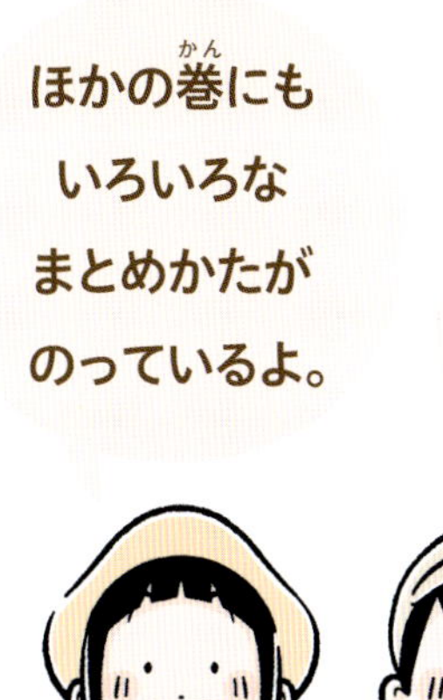

わかったことを つたえあおう

タブレットやパソコンでまとめたものは、大きな　がめんに　うつして、みんなで見ることが　できます。

わかったことを　はっぴょうしあって、みんなで　話してみましょう。

サツマイモのミニちしき

サツマイモを　あまくするほうほう

　サツマイモを　しゅうかくしたら　すぐに食べないで、土を　つけたまま　かわかしましょう。

　サツマイモが　よくかわいたら、紙につつんで　風通しのよいところに　２週間くらい　おいておきます。こうすることで、サツマイモが　もっと　あまくなります。

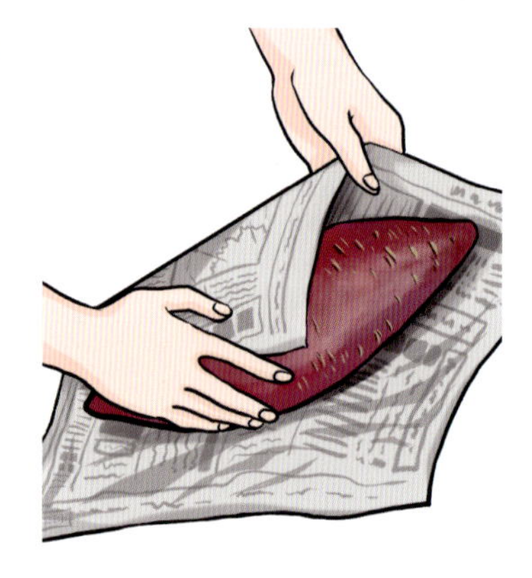

おいしいサツマイモの　見分けかた

　お店で　サツマイモを　買うときは、まん中が　太くて　りょうはしが　細くなっているものを　えらびましょう。

　おいしいサツマイモは、でこぼこが　少なくて、色が　きれいです。

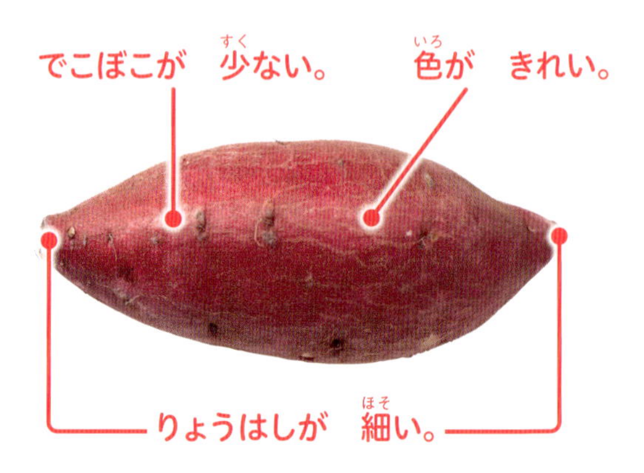

オクラのミニちしき

しんせんなオクラの　見分けかた

　しんせんなオクラは、きれいなみどり色で、よく見ると　細かい毛が　たくさんはえています。へたが　黒っぽいものは、古くなっているので、へたが　みどり色のものを　えらびましょう。

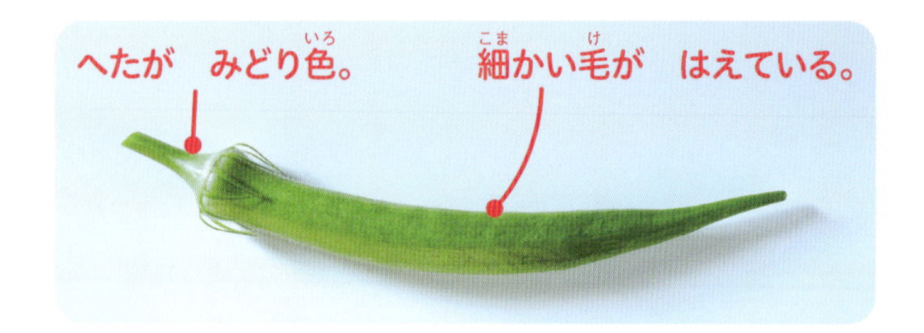

オクラの　ほぞんのしかた

　オクラを　あらって、水気がなくなるまで　しっかり　ふきましょう。

　そのあと、キッチンペーパーで　つつんでから、ポリぶくろに入れて、れいぞうこのやさい室で　ほぞんしましょう。

さくいん

あ

アブラムシ……23
インターネット……22
インタビュー……22
うえきばち……4
うどんこびょう……23
おしべ……19

か

花(か)ふん……19
カメムシ……23
かんさつカード……5、12
くき…5、7、8、9、10、16、17、19、20、21、24
コガネムシのよう虫(ちゅう)……13

さ

サトイモ……17
しちゅう……4、20
ジャガイモ……16、17
しゃしん……5、28
シャベル(スコップ)……4
しゅうかく……14、26、30
ジョウロ……4
せ……19、21

た

たね……4、7、18、19、23
タブレット(タブレットたんまつ)……5、28、29
土(つち)(ばいよう土(ど))……4、7、8、10、13、14、16、23、24、30
つる……7、10、11、12、14、15
つるがえし……10

な

なえ……4、7、8、9、12、13、19、20、21、23
ねっこ(ね)……6、7、8、10、16、17、19、20

は

はっぱ……5、7、9、10、12、13、14、19、21、23、26
花(はな)……5、7、17、19、24、25
ひも……4、20
びょうき……23
ひりょう……4、24
プランター……4、20
へた……18、30

ま

み……7、18、19、20、26、27
虫(むし)……13、23
め……4、7、19、23
めしべ……19

や

ヨトウガのよう虫(ちゅう)……13

監修 河村（かわむら） 亮（りょう）

1976年、広島県生まれ。三和農園代表。1997年、大分臨床工学技士専門学校卒業後、臨床工学技士として病院に勤務していたが、趣味で家庭菜園を始めたことをきっかけに兼業農家に転身。2014年より、専業農家として静岡県焼津市で三和農園を営む。インターネットを通じて野菜を販売しているほか、YouTubeに数多くの農業動画をアップロードし、注目を集めている。

〈指導〉
加藤真奈美（学習院初等科教諭）
長代　大（学習院初等科教諭）

〈企画・編集〉
山岸都芳、佐藤美由紀（小峰書店）
常松心平、飯沼基子（303BOOKS）

〈装丁・本文デザイン〉
倉科明敏（T.デザイン室）

〈イラスト〉
すぎうら　あきら
はやみ　かな（303BOOKS）

〈撮影〉
土屋貴章（303BOOKS）
中村翔太

〈撮影協力〉
山岸詩織
りん
河村明来

〈写真〉
PIXTA（p.3・6・7・9・10・13・16・17・18・21・23・24・28・29・30）／アマナ（p.16）／アフロ（p.19・30）

そだてる・かんさつ・まとめる
めざせ！ やさい名人
5 サツマイモ・オクラ

2025年4月6日　第1刷発行

監　　修　河村　亮
発 行 者　小峰広一郎
発 行 所　株式会社 小峰書店
〒162-0066 東京都新宿区市谷台町4-15
TEL 03-3357-3521　FAX 03-3357-1027
https://www.komineshoten.co.jp/
印　　刷　株式会社 精興社
製　　本　株式会社 松岳社

NDC620　31p　29×23cm　ISBN978-4-338-37005-9

のかんさつカード

年　組　番　名前

月　日（　　）天気

だい